LES ÉDITIONS Z'AILÉES
22, rue Ste-Anne C.P. 6033
Ville-Marie (Québec) J9V 2E9
Téléphone : 819-622-1313
Télécopieur : 819-622-1333
www.zailees.com

DIFFUSION ET DISTRIBUTION : MESSAGERIES ADP
2315, rue de la Province
Longueuil (Québec) J4G 1G4
Téléphone : 450-640-1237
Télécopieur : 450-674-6237
www.messageries-adp.com
*filiale du Groupe Sogides inc.,
 filiale du Groupe Livre Québécor Media inc.

Infographie : Impression et design Grafi*k*
Illustration de la page couverture : Richard Petit
Maquette de la page couverture : Gabrielle Leblanc
Texte : Richard Petit

Impression : juillet 2011
Dépôt légal : 2011
Bibliothèque nationale du Québec
Bibliothèque nationale du Canada

ISBN : 978-2-923574-01-1

Imprimé au Canada sur papier recyclé.

Les Éditions Z'ailées remercient la SODEC
pour l'aide accordée à leur programme
de publication.

SODEC
Québec

Gouvernement du Québec — Programme de crédit d'impôt pour
l'édition de livres — Gestion SODEC

IL ÉTAIT UNE...
DERNIÈRE FOIS

RICHARD PETIT

À toi, lectrice ou lecteur qui n'a jamais eu peur, les choses vont radicalement changer dans à peine quelques pages…

Richard

PROLOGUE

Nous, l'alliance des gouvernements de la terre, sommes désolés de t'apprendre que tu ne tiens pas un livre dans tes mains. Non! C'est plutôt un guide de survie de la race humaine, rien de moins. Ne regarde pas autour de toi, chaque personne, même tes parents, ton frère, tous ont été assimilés, transformés. Oh! Rien ne paraît de l'extérieur, mais observe-les et tu verras par leur comportement étrange. Assimilés par qui? Par quoi? Nous ne le savons pas. Tout, ou du moins tout ce que nous avons pu apprendre pendant ces courtes semaines, se trouve dans ce guide.

Il y a quelques mois, lors des premiers signes de cette assimilation, les différents gouvernements de plusieurs pays croyaient avoir affaire à une simple infection contagieuse comme la grippe. Plusieurs éminents docteurs se sont penchés sur la situation pour découvrir qu'il s'agissait en fait d'une invasion. Une race de créatures sans scrupule avait entrepris d'assimiler les humains, pour ensuite s'accaparer notre planète et ses ressources naturelles. Qui sont ces créatures? À toi de le découvrir.

Impuissant devant cet ennemi sournois qui, de jour en jour, assimilait de plus de plus de gens, il a été décidé de rassembler dans un guide tous les renseignements, ainsi que la marche à suivre pour donner toutes les chances à la race humaine de stopper cet envahisseur sans pitié. Le jour venu où nous avons dû imprimer ce guide, nous avons eu recours à l'ordinateur XT-344 à mémoire virtuelle pour savoir combien de ces guides il fallait imprimer. En fait, il nous fallait savoir combien de personnes à travers le monde allaient, peut-être, échapper à cette assimilation. Le résultat nous a atterrés : une seule personne! L'ordinateur nous a aussi révélé que ce serait toi. Ne nous demande pas pourquoi, nous ne le savons pas, même l'ordinateur ne pouvait pas l'expliquer.

Alors, tout a été rigoureusement calculé pour que ce guide parvienne discrètement à toi… TOUT! Au moment où tu liras ses lignes, nous aurons été assimilés nous aussi, tu seras donc la seule personne sur la terre à être encore humaine. Est-ce que tu pourras éviter ce triste sort, et tous nous sauver? Nous l'espérons…

Les envahisseurs savent que

ce guide existe. Si quelqu'un te demande « qu'est-ce que tu lis? », c'est que cette personne est l'un des officiers supérieurs de cette armée venue conquérir la terre… NE LUI DIS RIEN! Sinon il saura que tu tiens entre tes mains le guide qui t'aidera peut-être à sauver l'humanité de ces ignobles et très sournois envahisseurs. Ça peut être n'importe qui… NE RÉAGIS PAS LORSQU'IL TE LE DEMANDERA! SINON…

Si tu lui dis, ou s'il vient à découvrir que toi, tu possèdes ce guide, il t'assimilera toi aussi et ce sera fini pour toi, et définitivement terminé pour toute la race humaine. Il ouvrirait la bouche et de longs tentacules sortiraient pour englober ta tête et ensuite tout ton corps afin de t'assimiler! Fais très attention, ne parle à personne de ce guide, toi, notre sauveur, notre héros. Tu es notre seule chance, nous avons confiance en toi...

Nous sommes tous avec toi.

Voici toutes les instructions de ta mission, que tu dois suivre à la lettre.

L'alliance des gouvernements de la terre

PREMIÈRE ÉTAPE : PRISE DE CONSCIENCE

Nous savions tous qu'il serait très difficile de faire croire pareille histoire, alors nous allons te demander de faire quelques tests avec ta famille pour te convaincre. En ce moment, tous les membres de ta famille sont en bas, assis. Ils regardent tous les trois la télé; le temps est propice. L'ordinateur nous a tout révélé sur ta famille ainsi que sur leur comportement. Descends les rejoindre! AH OUI! Conserve toujours ce guide sur toi quoi qu'il advienne, ne le perd jamais...

Incrédule, tu suis tout de même les instructions du guide. Comme il te l'indique, tu descends rejoindre les autres membres de ta famille. Tu es tout étonné de voir que, comme il est écrit dans ce guide, ils sont tous les trois assis devant la télé. Étrange! C'est peut-être une coïncidence que tu te dis. Tu t'assois de manière discrète et tu ouvres le guide pour lire la suite.

Tu vas soumettre ton frère Josh à un test malgré lui, t'indique le guide.

Avant qu'il soit assimilé, lorsque tu frappais ton grand frère d'un petit coup de poing sur l'épaule, il réagissait toujours de la même façon. Il levait la main devant toi pour te faire le signe de la paix avec deux doigts. Ça te faisait toujours rigoler. Vas-y maintenant, fais-lui.

Tu refermes le guide et tu tends ton bras droit vers ton frère pour lui administrer un tout petit coup de poing. Sa réaction te surprend.

– AIE! ESPÈCE DE MALADE! TU AS FAILLI ME CASSER L'ÉPAULE.

Près de lui, ton père attrape de ses grosses mains les deux bras de son fauteuil et se tourne vers toi.

– Mais qu'est-ce qui te prend?

te gronde-t-il en faisant de gros yeux. Ne fais plus jamais ça à ton frère. Et puis, qu'est-ce que tu lis là? Qui t'a donné ce livre?

Ton père vient de te parler du livre. C'est un choc pour toi! La preuve est faite... TON PROPRE FRÈRE ET TON PROPRE PÈRE SONT ASSIMILÉS!

Affolé, tu cherches tes mots.

– Euh! C'est pour un travail à l'école, réponds-tu avant qu'il ne se lève pour venir vers toi. Notre prof de français est vraiment exigeante, tu le sais papa : il faut lire vingt pages d'un livre par soir, tous les soirs.

Et tu ouvres le guide pour

feindre de poursuivre la lecture d'une quelconque histoire.

Ton père s'enfonce dans son fauteuil et tourne la tête vers l'écran de la télé.

OUF! Une goutte de sueur perle sur ton front. Tu l'essuies sans que ta mère, assise près de toi, ne remarque rien, et tu ouvres à nouveau le guide.

CONVAINCU? te demande le guide, comme s'il te parlait. NON? Il ne reste que ta mère à tester maintenant. Demande-lui ce qu'il y a au menu ce soir.

— Maman! chuchotes-tu tout bas. Qu'est-ce que nous allons manger pour souper?

Elle se tourne vers toi.

– Du poisson! qu'elle te répond. Du bon poisson!

– Mais maman, est-ce que nous n'en avons pas mangé hier et euh... Avant-hier?

– Oui! Et nous allons en manger demain aussi, et après demain. HMMMM! Du bon poisson.

Comme elle, ton père et ton frère Josh se pourlèchent les babines. Tu remarques alors qu'à la place de leur langue, ils ont tous les trois... UN PETIT TENTACULE TRAPU! Tu essaies de ne pas crier d'horreur. « Pas de panique! » tentes-tu de te calmer.

« Le guide! » te rappelles-tu

dans ta tête. Le guide.

Tu ouvres le livre délicatement et tu lis la ligne suivante du guide qui dit :

Nous sommes désolés pour ce qui est arrivé à ta famille. Maintenant, pas de panique. Pour éviter qu'ils te pourchassent, et ne découvrent que tu n'es pas encore assimilé et l'un des leurs, il y a une chose que tu peux faire : prends tout d'abord la zappette de la télé.

Tu lèves les yeux et tu l'aperçois sur la table basse, juste devant Josh.

« Ça ne sera pas facile de la prendre, réalises-tu. Josh va se chamailler avec moi comme il le fait toujours lorsque je veux m'accaparer cette zappette. »

Tu poursuis la lecture du guide.

Lorsque tu auras la zappette, tu devras mettre la télé sur une chaîne où il n'y a rien, pas d'image, rien que de la neige. La télé doit aussi grésiller. Ceci aura pour effet de les hypnotiser tous les trois le temps pendant que tu mènes à bien ta mission de sauver la terre. Ne nous demande pas pourquoi les envahisseurs réagissent ainsi devant une télé sur laquelle il n'y a pas d'image. Tout ce que nous savons, c'est que ça fonctionne. ALLEZ!

Tu fermes le guide, le déposes sur le fauteuil, et tu fixes la zappette de télé. Sans attendre une seconde de plus, tu te jettes pour la saisir. Comme s'il avait prévu le coup, Josh l'attrape avant toi. Tu ne te laisses pas abattre et tu lui sautes dessus pour tenter de lui arracher des mains. Vous tombez tous les deux lourdement sur le plancher. Pendant l'échauffourée, le fauteuil sur lequel tu étais assis se renverse. Projeté loin, le guide retombe puis glisse sur le tapis et s'arrête au pied de ton père qui l'aperçoit.

– LE GUIDE DU DERNIER HUMAIN! s'écrie-t-il en pointant le livre.

Sur le plancher, Josh fige sur place.

Ta mère se tourne vers toi.

– C'EST TOI QUI, TOUT CE TEMPS, AVAIS CE GUIDE? s'écrie-t-elle en colère.

De la bouche de ton père et de ta mère, des tentacules jaillissent. Dans un geste de désespoir, tu parviens à arracher la zappette des mains de ton frère et tu pointes le petit appareil vers l'écran de la télé.

Tu appuies une fois…

NON! C'est une chaîne de nouvelles.

Tu appuies une deuxième fois…

ZUT! Un match de soccer.

Dans tes cheveux, tu sens soudain des tentacules gluants qui s'agglutinent. Ceux des créatures que sont devenus ton père et ta mère.

Tu appuies une troisième fois...

L'écran de la télé devenu tout gris est traversé tout à coup par des lignes qui sursautent. Du haut-parleur, un grésillement lugubre se fait entendre. Près de toi, ton frère Josh, immobile, fixe l'écran. Debout, ton père et ta mère, complètement immobiles, ont tous les deux le regard braqué vers la télévision. Voyant que tu as réussi, tu te relèves.

Tu ne sais pas ce qui te retient de ne pas te mettre à pleurer; la gravité de la situation sans doute. Tu ramasses le guide sur le plancher et tu l'ouvres à la page où tu étais rendu.

DEUXIÈME ÉTAPE : LA MISE À JOUR

Bouleversé, tu poursuis la lecture du guide.

Nous sommes parfaitement conscients que de prendre connaissance de cette situation critique est une rude épreuve pour toi, mais il ne faut pas te décourager. Retourne dans ta chambre et va t'asseoir devant ton ordinateur.

Avant de monter l'escalier, tu jettes un coup d'œil à ta famille figée dans le salon. Tu promets de faire tout ce qu'il y a en ton pouvoir pour les libérer de l'emprise de ces créatures venues d'ailleurs. Tu gravis les marches et tu entres dans ta chambre. Devant ton ordi, tu ouvres le guide à nouveau.

Tu peux, avec n'importe quel ordinateur, te connecter à notre ordinateur XT-344 afin de connaître les derniers développements de cette invasion. Tape dans le moteur de recherche : www.guide_XT-344_espoir.com.

Tu t'exécutes. À l'écran apparaît aussitôt une lumière rouge qui clignote. C'est un signal d'urgence.

– QUELLE URGENCE? te demandes-tu. Qu'est-ce qui se passe?

L'ordinateur XT-344 t'avise que tu as été repéré par les envahisseurs et que tu dois quitter au plus vite la maison. Une brève animation à l'écran te montre les planètes du système solaire qui s'alignent les unes derrière les autres. Tout ça ne t'étonne guère.

« Mais nous savons depuis des années que la Terre, Uranus, Jupiter, Mercure, Vénus, Mars et Saturne vont s'aligner avec le soleil, cherches-tu à comprendre. Quel est le rapport avec moi? »

L'ordinateur XT-344 t'apprend

qu'en réalité, les autres planètes vont s'aligner non pas vers le soleil... MAIS VERS TOI!

Tu es frappé d'étonnement.

L'ordinateur XT-344 en est arrivé à cette conclusion parce que ces planètes changeaient constamment de trajectoire pour tenter de suivre tes déplacements : de chez vous au parc, de l'école au club vidéo, jusqu'à la maison de tes amis... PARTOUT! Les envahisseurs connaissent maintenant ton existence à cause de ces planètes qui agissent comme des radars détecteurs d'humains. Peu importe où tu seras, les planètes te trouveront. Mais ne t'en fais pas, tu auras tout de même du temps pour agir, car ces grands corps célestes prennent un certain temps à se déplacer dans l'espace.

À l'écran de ton ordinateur, un message t'annonce que la connexion avec l'ordinateur XT-344 a été rompue indéfiniment.

« Ça y est! Ces saletés de créatures ont réussi à trouver l'ordinateur XT-344 et l'ont détruit, tu en déduis. Qu'est-ce que je fais maintenant? »

Tu ouvres ton guide…

TROISIÈME ÉTAPE : LA CHASSE AUX ENVAHISSEURS

Maintenant, tu dois quitter ta demeure afin de trouver des indices dans le but de localiser le centre de commande de ces envahisseurs, car il doit logiquement y en avoir un.

« Oui, mais où? » réfléchis-tu.

Soudain, le bruit strident de crissement de pneus résonne. Discrètement, tu glisses un œil entre les rideaux. Dehors, quatre voitures viennent de s'arrêter juste devant ta maison. Un bataillon d'hommes vêtus tout de noir émergent des voitures et s'engouffrent dans le jardin. Pas nécessaire d'être devin pour comprendre que ces hommes aux allures inquiétantes sont venus ici pour te capturer.

« LES PLANÈTES! réalises-tu. Je suis resté trop longtemps ici,dans la maison, et elles se sont alignées vers moi. »

Tu ne prendras pas le temps de faire connaissance avec ces messieurs. Tu enjambes l'ouverture de la fenêtre et tu te laisses tomber sur la remise du jardin. De là, tu bascules les deux pieds sur le trottoir. D'une des fenêtres du salon, un long bras pointe dans ta direction.

— IL EST LÀ! s'écrie l'un des hommes qui t'a aperçu. Cet humain va nous filer entre les tentacules. VITE DEHORS!

Pas de temps à perdre, tu sautes la haie comme un athlète olympique. De l'autre côté, mademoiselle Dou t'accueille. Mademoiselle Dou est le bouledogue des voisins. Cette grosse chienne aux oreilles tombantes et au visage aplati comme une crêpe est gentille et très attachante malgré sa laideur. Devant toi, elle ouvre sa gueule. Ce n'est pas dans ses habitudes de faire ça. Un long tentacule émerge de sa cavité grande ouverte.

– OH! NON! t'écries-tu, stupéfait. Ils l'ont assimilée lui aussi.

Le long tentacule gluant danse dans ta direction, tu t'écartes pour l'éviter, et pour prendre ton élan. Une deuxième haie franchie, tu atterris au beau milieu de la rue. Deux voitures arrêtent à quelques centimètres de toi. Le crissement des pneus a alerté la meute d'hommes en noir qui accourent maintenant dans ta direction. Tu regardes partout autour de toi. Plusieurs citoyens tentent de t'encercler en te barrant le chemin.

« On dirait des zombies qui

veulent se jeter sur moi pour déguster mon cerveau. »

À tes pieds, tu remarques une bouche d'égout. Sans hésiter et sans réfléchir, tu soulèves le couvercle et tu t'introduis dans le trou d'homme. Une longue échelle te conduit dans un long tunnel qui suit le sens de la rue au dessus de toi. En haut de l'échelle, les hommes en noir s'agitent. Cependant, aucun d'eux n'ose s'aventurer dans l'égout. Pourquoi?

Vu que tu sembles avoir le temps, tu feuillettes alors ton guide. À la page vingt-six, il est fait mention que les créatures pourraient craindre la noirceur.

AH! VOILÀ! C'est confirmé. Tu seras donc en sécurité tant et aussi longtemps que tu resteras sous terre.

« Ce soir, à la noirceur, j'agirai », réfléchis tu.

Les pattes dans l'eau, un rat passe tout à coup près de toi.

« OH! OH! Est-ce que les rats ont aussi été assimilés? »

Le rongeur poursuit sa route sans tenir compte de ta présence dans son domaine.

« Non! Au moins, ils sont un peu comme moi, conclus-tu. Les derniers survivants de la terre... »

QUATRIÈME ÉTAPE : TROUVER LE CENTRE DES COMMANDES

Selon le guide, les premières manifestations d'assimilation qui ont été rapportées aux autorités se sont produites au nord de la ville, près du quartier industriel.

« C'est probablement à cet endroit que je vais trouver leur quartier général ou ce fameux centre de commande, en déduis-tu. C'est logique. Comment se fait-il que leur méga super puissant ordinateur n'ait pas mathématiquement calculé la même chose que moi? Il y a plusieurs grandes bâtisses désaffectées là-bas, c'est certainement là que je vais les trouver. »

Lentement, voyant par les trous des bouches d'égout que le soleil se couche, tu te diriges vers ta destination. Plusieurs minutes plus tard, sous une échelle qui, tu penses, te fera monter à la rue des usines, tu laisses s'estomper les dernières lueurs du soleil.

À gestes mesurés, tu gravis l'échelle, et tu soulèves le couvercle du trou d'homme. La tête sortie du trou, tu inspectes les alentours.

« SUPER! Personne en vue. Et je suis bien arrivé à la rue des usines. C'est bon! »

Tu sors de l'égout et tu remets doucement le couvercle à sa place comme s'il était fait de verre.

Devant toi s'étalent une cinquantaine de bâtiments inhospitaliers aux carreaux brisés. Il te faudra toute la nuit pour tous les fouiller. Sans attendre, tu te diriges vers le premier gardant toujours en tête que tu ne peux pas demeurer très longtemps au même endroit parce que les foutues planètes vont s'aligner sur toi et trahir ta présence.

À l'entrée du grand bâtiment,

tu remarques plusieurs cuvettes brisées, empilées les unes par-dessus les autres.

« D'accord, ici on fabriquait des cuvettes de salle de bain, c'est évident. »

Tu lèves la tête pour évaluer la dimension de la grande construction.

« J'ai sept étages à fouiller dans une espèce de grande cabane pleine de bols de toilette! réalises-tu. Ça promet d'être très intéressant. »

Tu pénètres à l'intérieur. À voir la quantité de toiles d'araignée qu'il y a ici, les lieux ont été désertés depuis fort longtemps.

Tu te fraies un chemin entre la machinerie rouillée et les poutres de bois tombées du plafond. Le parcours est de plus de plus dangereux. Arrivé à un escalier qui a perdu ses marches, tu dois user d'agilité pour te rendre à l'étage.

Là-haut, c'est un « copier-coller » de l'étage en dessous : machine figée dans la poussière et la rouille, cuvettes et plein de grandes pièces de bois qui jonchent le plancher.

« Sept étages de cochonnerie comme ça! te dis-tu, découragé. Multiplié par à peu près cinquante usines dans le quartier industriel!... Ça fait? Beaucoup! Même trop! »

Tu ouvres ton guide…

– Parle-moi guide! Parle-moi! Aide-moi un peu non? Sinon je ne trouverai jamais leur quartier général, ils vont m'attraper avant.

À la page dix-sept, tu remarques un passage qui traite sur une théorie sur les envahisseurs :

Lorsqu'un envahisseur a assimilé un humain, nous croyons qu'il doit de façon régulière, c'est-à-dire une fois par jour, respirer pendant quelques minutes le mélange gazeux de son habitat naturel, sinon il en mourra. L'envahisseur mort, l'humain qui se retrouvera débarrassé de son parasite, retrouvera donc aussi son aspect normal. Ceci n'a pas été vérifié, et n'est, à ce stade, qu'une théorie calculée par l'ordinateur XT-344 dans lequel nous avons introduit les données concernant le peu de caractéristiques que nous ayons apprises sur notre ennemi. Cependant, pas une seule bombonne contenant un gaz inconnu n'a été trouvée dans la ville, ce qui contredit la thèse des gaz que les envahisseurs doivent respirer pour survivre. À moins bien sûr que ces gaz soient transportés de façon plus effacée et loin de nos regards.

Dans ton esprit germe une idée.

« Et si ces gaz étaient

transportés partout dans la ville par les tuyaux qui servent à transporter l'eau potable dans toutes les maisons? »

Ton visage tout à coup s'illumine…

« OUI! OUI! Depuis plusieurs semaines, nous manquons d'eau à la même heure tous les soirs. À dix heures tapant, pendant une demi-heure, chaque jour, c'est la même chose. Toutes les fois que j'ai ouvert le robinet de la salle de bain, il y avait une sorte de gaz malodorant qui sortait. VOILÀ COMMENT ILS FONT POUR RESPIRER! Ils collent l'un de leurs tentacules à un robinet pour respirer à la dixième heure tous les soirs. »

Frénétique, tu t'élances dans la cage d'escalier pour gravir les autres étages pour te rendre sur le toit. Arrivé tout à fait en haut, tu pointes une grande bâtisse très éclairée loin à l'horizon.

« LÀ! L'usine de filtration de l'eau, ces saletés sont là-bas. »

Très haut dans le ciel, tu aperçois aussi un grand vaisseau lumineux qui descend des étoiles. Le grand vaisseau s'arrête et se met soudain à flotter en l'air juste au-dessus de l'usine. Une hargne incontrôlable s'empare de toi. Poussé par un esprit de riposte, tu dévales les six étages de la fabrique de cuvettes pour te retrouver très vite sur la route qui conduit vers l'usine de filtration, la source probable de tous les problèmes des habitants de la ville.

Après plus de quarante minutes de marche sur une rue sinueuse et obscure, tu arrives dans le tournant d'une rue où il y a plusieurs commerces, d'où tu peux apercevoir l'entrée de l'usine. Caché dans la pénombre de l'entrée d'un petit café, tu inspectes les lieux. L'entrée de l'usine est surveillée par deux gardiens assez costauds. Tu ne t'en étonnes pas.

« C'est normal qu'ils soient

sur un pied d'alerte depuis qu'ils ont pris connaissance de mon existence. Mais comment vais-je entrer? C'est clôturé tout autour. »

Une voiture arrive soudain. Tu te laisses choir sur le sol. Les phares passent au-dessus de ta tête et vont pointer ensuite l'entrée de l'usine. L'auto s'arrête près des gardes, quelqu'un veut entrer.

Tu lèves les yeux.

L'un des deux gardes marmonne quelque chose d'incompréhensible au chauffeur. D'où tu es, tu ne peux rien entendre, mais tu peux très bien voir ce qu'ils font. Le chauffeur ouvre sa bouche et montre au garde son tentacule. Le garde fait un signe affirmatif à son collègue qui lui ouvre la grille pour laisser entrer le visiteur.

« J'ai une langue d'humain, moi! penses-tu à la situation. Ils ne me laisseront jamais entrer. »

Tu t'assois sur le sol pour réfléchir.

« Il n'y a qu'une façon d'entrer dans cette usine sans éveiller les soupçons, c'est en étant assimilé moi aussi, constates-tu alors, abattu, Mais je ne peux pas le faire, ça signifierait la fin de la race humaine. »

Une odeur désagréable vient

tout à coup planer sous ton nez.

« POUAH! Que ça sent mauvais. Qu'est-ce que c'est? »

Tu t'avances à quatre pattes pour voir d'où provient cette odeur. Ça s'échappe des poubelles du commerce juste à droite du café. Il s'agit d'une poissonnerie. C'est normal de retrouver une poissonnerie près d'ici, ces créatures adorent le poisson.

Ton image s'illumine encore. Qu'as-tu en tête? Un plan! Et dans la bouche... TU AURAS QUELQUE CHOSE D'AUTRE QU'UNE LANGUE HUMAINE!

Tu rampes sur le sol jusqu'à

l'entrée de la poissonnerie. Là, tu poses la main sur la poignée. Pas de veine! C'est verrouillé! Normal! La situation est capitale, alors aux grands maux, les grands remèdes. Le dos solidement appuyé sur la porte, tu l'enfonces avec un minimum de bruit. Tu sors la tête de l'entrée pour voir si les gardes ont entendu... NON!

« SUPER! »

Tu entres dans le commerce et tu te mets à chercher nerveusement dans les comptoirs réfrigérés. Chercher quoi?

Cinq minutes plus tard...

Après avoir pris une grande inspiration, tu vas te placer en plein centre de la rue et tu te diriges vers l'entrée de l'usine de filtration. L'un des deux gardes t'aperçoit, il avertit l'autre d'un coup de coude. Même si ton cœur bat à se rompre, tu continues d'avancer vers eux. Lorsque tu arrives à leur hauteur, l'un d'eux place sa main sur ton torse pour t'arrêter. Tu remarques alors qu'il porte un curieux pistolet à sa ceinture. De toute évidence, cette arme n'a pas été fabriquée sur terre. Mais comment vas-tu faire pour les berner, pour les duper? Si jamais ils te reconnaissent, s'en sera fini pour toi, et du reste de la terre aussi.

– MONTRE! t'intime le garde.

Tu te positionnes droit devant lui et tu ouvres grand la bouche. À la place de ta langue, un horrible tentacule se tortille entre tes dents.

Ça va! t'accorde le garde. Tu peux entrer!

— Nous sommes désolés, s'excuse le deuxième, mais nous avons dû resserrer la sécurité depuis que nous avons appris l'existence de ce terrien que l'on a oublié d'assimiler. Le dernier.

— Et comme le dit si bien notre éminence Dandadru, continue le premier garde, « un terrien, c'est un terrien de trop ». Ce terrien, bien que seul, pourrait mettre en péril notre plan d'assécher la terre de ses ressources. IL FAUT TOUS LES ASSIMILER!

– UN BON TERRIEN EST UN TERRIEN ASSIMILÉ! s'exclame très fort le deuxième.

Et les deux gardes se mettent à rire à gorge déployée. Tu aperçois leur tentacule qui s'agite dans leur bouche. Tu fais oui de la tête plusieurs fois pour feindre d'être d'accord avec eux, ensuite tu entres. Les deux gardes referment la grille derrière toi et reprennent leur poste.

Loin de leur regard, tu craches bruyamment vers le sol pour faire sortir un gros morceau de ta bouche. La pièce gluante roule sur le sable et disparaît aussitôt cette envie de vomir que tu avais.

« C'est la dernière fois que je mets un tentacule de pieuvre dans ma bouche pour imiter une langue d'extraterrestre, jures-tu, complètement dégoûté. Même pour sauver le monde. Non! Jamais plus. »

Cette stratégie était tout ce qu'il y avait de plus répugnant. Mais elle a été tout aussi efficace pour mystifier les gardes et entrer dans le complexe de l'usine.

Sous le grand vaisseau stable qui flotte en l'air au-dessus de l'usine, des hommes s'affairent à connecter les longs tuyaux qui pendent du vaisseau à la tuyauterie de l'usine.

« C'est le ravitaillement du gaz que ces ignobles créatures doivent respirer, en déduis-tu. Je dois trouver une manière de couper l'alimentation. »

Alors que tu réfléchis, un contremaître qui sortait d'une remise t'aperçoit.

– HÉ! HO! t'interpelle-t-il. CE N'EST PAS LE TEMPS DE FLÂNER LÀ! NOUS AVONS UNE TONNE DE BOULOT!

Tu te retournes vers lui.

– Euh! Excusez-moi monsieur, je...

– Laisse faire tes excuses et va presto à la valve six! t'ordonne-t-il. Il y a un seul homme là-bas pour manipuler le tuyau. Nous avons trois autres vaisseaux qui arriveront cette nuit, c'est tout un boulot qui nous attend, alors active-toi! Va l'aider!

Sans t'opposer, tu t'y diriges d'un pas pressé sous l'œil vigilant du contremaître qui supervise les manœuvres.

– VITE! PRENDS LA GRANDE CLÉ À MOLETTE ET RESSERRE L'ÉCROU LÀ! te dicte l'homme alors que tu arrives près de lui. NOUS PERDONS TROP DE GAZ!

À la jonction du tuyau et de

la grosse valve, ça chuinte et un sifflement strident résonne. Tu ramasses le gros outil et tu resserres l'écrou. Le sifflement se tait aussitôt.

– BIEN! TRÈS BIEN! te félicite l'homme. Maintenant, ouvre la valve, un quart de tour, pas plus, sinon...

– Sinon quoi? veux-tu savoir.

– SINON UNE PARTIE DE LA TUYAUTERIE IMPLOSERA, VOYONS! s'étonne-t-il de ta question. Écrasée, elle ne pourra plus transporter notre précieux gaz! Sans ce gaz qu'ils doivent respirer, nos parasites mourraient et tous les habitants de la ville retrouveraient leur aspect humain! Allez! Tourne la manette un quart de tour!

Tu t'exécutes immédiatement. Lorsque tu as terminé, le gaz se met à circuler comme il se doit dans la tuyauterie de l'usine. Souriant, l'homme s'approche de toi.

– BEAU TRAVAIL, MON AMI! dit-il en passant son bras autour de ton cou. Allez! Nous avons une heure à tuer avant que le vaisseau de ravitaillement ne se vide complètement de son chargement de gaz. Nous avons le temps d'aller manger à la cafétéria de l'usine. Ce soir, poutine aux larves au menu, miam!

Et il se met à se lécher les lèvres avec sa longue langue tentacule. Tu commences vraiment en avoir ras le pompon de voir ce truc sortir de la bouche des assimilés. Vraiment!

« UNE POUTINE AUX LARVES! songes-tu, totalement répugné. Faire semblant d'être un assimilé oui, mais pas au point de manger cette dégueulasserie. NON! »

– Tu es nouveau ici? constate l'homme. Moi je me nomme Lukas, et toi?

– Euh moi, je, je euh, je voudrais aller à la toilette, lui réponds-tu à la place, cherchant une façon de te débarrasser de ton nouvel ami.

C'est plutôt urgent!

Il te montre une série de petites cabines en plastique bleu cordées les unes à côté des autres, adossées à un mur d'un entrepôt.

— Là! Tu utilises celle que tu veux, elles sentent toutes très mauvais de toute façon.

Et il se met à rire.

Tu le remercies d'un signe de la tête.

— Vas-y Lukas, je te rejoins dans une minute.

Et ton nouvel ami s'en va en direction d'une grande porte qui conduit sans doute à la cafétéria.

Toi, de ton côté, tu te diriges tout d'abord vers l'une des petites cabanes bleues, puis tu bifurques rapidement pour plutôt aller vers l'une des valves. Là, tu attrapes sans hésiter la grande manette de la valve... ET TU L'OUVRES COMPLÈTEMENT!

Le débit de gaz quadruplé dans les tuyaux, ceux-ci se compressent sur eux-mêmes jusqu'à ce que le gaz ne puisse plus passer. Cette action de ta part a des répercussions immédiates : le sol se met tout de suite à trembler. Au-dessus de ta tête, le grand vaisseau se met dangereusement à tanguer dans le ciel étoilé.

– ÇA MARCHE! t'exclames-tu fièrement. Les autres valves! Je dois ouvrir aussi toutes les autres valves!

Tu cours en zigzaguant dans l'enchevêtrement complexe de réseau de tuyaux pour te rendre à la deuxième que tu ouvres complètement. Sous tes pieds, le sol vibre de plus en plus. Comme si un tremblement de terre allait se produire. Tu t'élances vers une autre que tu ouvres toute grande aussi. Autour de toi, les bâtiments se mettent eux aussi à danser sur leur fondation. Partout, des portes s'ouvrent et les hommes apparaissent. Le visage couvert de sauce à poutine, Lukas arrive lui aussi.

– MAIS TU RÉALISES CE QUE TU AS FAIT? te crie-t-il la bouche pleine de larves.

Avec impertinence, tu te jettes vers une autre valve que tu ouvres aussi. Partout autour de toi, une cohue bourdonnante d'hommes tente de réduire le débit de gaz, mais c'est trop tard. LES DÉGÂTS SONT IRRÉVERSIBLES!

Avant que ce grand vaisseau ne s'écrase sur l'usine et ne détruise tout, tu cherches un moyen de quitter l'endroit rapidement. Devant un garage, tu aperçois une camionnette; tu figes quelques secondes.

– Je n'ai jamais conduit de véhicule, mais ça ne doit pas être plus difficile que dans les jeux vidéo. Tu t'élances à toutes jambes vers le petit camion. Tu ouvres la portière.

« Les clés sont dans le contact! GÉNIAL! »

Tu t'assoies et tu mets la camionnette en marche. Le moteur vrombit. Dans le ciel, le grand vaisseau a perdu de l'altitude et est sur le point de s'écraser sur l'usine. Dans toutes les directions, les manœuvres affolés déguerpissent. Alors que tu es sur le point d'embrayer, de longs tentacules s'introduisent dans l'habitacle par les vitres baissées de la camionnette. Tu presses alors les boutons poussoirs pour les fermer. De chaque côté de toi, les vitres se lèvent complètement et tranchent du même coup les tentacules qui eux tombent sur le plancher et se mettent à gigoter comme de gros vers écartelés. Tu ne peux retenir un fort sentiment de dégoût. Tu embrayes finalement la transmission et tu appuies avec le bout de ton pied sur l'accélérateur.

Avec une certaine aptitude, tu diriges la camionnette vers la sortie. Te voyant arriver à toute vitesse vers eux, les deux gardes s'écartent. Au moment où tu arrives à leur hauteur, tu leur lances une grimace magistrale en sortant ta langue et tu enfonces la grille.

T'ayant maintenant reconnu, les deux gardes dégainent alors leur arme et la pointent vers toi. Un éclair vif frappe soudain le côté droit de ta camionnette qui dangereusement, se met à slalomer dans la rue... MALHEUREUSEMENT, TU AS ÉTÉ ATTEINT PAR LEUR TIR!

Après avoir fait une centaine de mètres dans la rue et sur le trottoir, ton véhicule s'enfonce dans un conteneur à déchets et s'arrête net. Secoué par la violence de l'impact, tu cherches avec ta main la poignée pour ouvrir la portière. Par l'ouverture laissée par la vitre brisée, tu aperçois les deux gardes qui, armes pointées dans ta direction, accourent. L'un d'eux fait feu une autre fois.

Tu ouvres la portière et tu te jettes au sol. À seulement deux mètres de toi, la camionnette s'enflamme. Étourdi, tu rampes difficilement sur le sol. La fumée se fait dense autour de toi. Soudain, un grand fracas couvre le crépitement de la camionnette qui brûle pas très loin de toi. C'est le grand vaisseau qui vient de s'écraser sur l'usine. Ta mission est accomplie! Dans quelques heures, les parasites mourront et tous les habitants de ta ville seront sauvés. D'ici là, il s'agira pour toi de rester en vie. Ce ne sera pas facile, car les deux gardes pointent leur arme directement vers toi.

– ESPÈCE DE SALETÉ D'HU-MAIN! t'invective le premier. TU VAS PAYER TRÈS CHER POUR CE QUE TU AS FAIT!

Et il colle son pistolet au bout de ton nez.

Derrière lui, plusieurs hommes arrivent en courant. Lukas est parmi eux.

– Mais qui est responsable de cette catastrophe? demande l'un d'eux, essoufflé.

– LUI! te menace avec son

arme le premier garde. Tout est de sa faute, ce traître!

Lukas pousse ses camarades et s'approche de toi.

— MAIS C'EST LE NOUVEAU! s'exclame-t-il en te reconnaissant. Ce n'est pas vraiment de sa faute, il en était à sa première journée avec nous à l'usine. C'est une maladresse, c'est tout!

— L'erreur est humaine! s'exclame un autre homme qui a aussi décidé de te prendre en pitié.

— MAIS JUSTEMENT NOUS NE SOMMES PAS HUMAINS, SOMBRE IDIOT! l'engueule le deuxième garde. Et lui, ce petit imbécile n'est pas l'un des nôtres.

Et ce dernier se jette sur toi pour saisir ta mâchoire afin de te faire ouvrir très grand la bouche.

Stupéfaits, tous les hommes font un pas de recul.

– C'EST LUI! s'écrie l'un d'eux, le dernier humain qu'il nous reste à assimiler.

– ET C'EST À MOI QUE REVIENT CET HONNEUR! gronde soudain une voix caverneuse qui couvre la clameur des hommes surexcités.

Un silence morbide règne alors que les hommes s'écartent pour faire un passage devant toi.

Tu ravales bruyamment ta salive lorsque tu aperçois une énorme créature immonde qui s'approche de toi. Elle avance en glissant sur le sol comme une vague gluante. De longs tentacules se tortillent sur la partie supérieure de son corps. Tu te doutes bien que tu as devant toi cette fameuse éminence Dandadru, leur chef. Il s'arrête devant toi et se met à te dévisager de ses sept yeux.

– TU ES À MOI! grommèle-t-il en s'approchant encore plus près de toi.

Ses horribles tentacules ne sont plus qu'à quelques centimètres de ton visage.

Complètement entouré, tu constates avec un grand désappointement que toute tentative de fuite de ta part est vouée à l'échec. Tu aperçois alors pas très loin de toi, Lukas qui, étrangement, tient son cou entre ses deux mains. On dirait qu'il ne ce sent pas très bien.

— Je crois que tu devrais aller respirer un peu de notre gaz, lui conseille l'un de ses collègues en remarquant lui aussi son état.

— Mais comment? lui demande ce dernier. IL N'Y EN A PLUS! Cet humain a tout détruit.

Le corps de Lukas, tout à coup traversé par une série

de convulsions, s'immobilise ensuite. Comme s'il venait de se réveiller d'une très longue nuit de sommeil, Lukas te regarde d'une mine complètement déconfite. Puis, sans crier gare, il ramasse un bout de planche brisée et frappe l'un des gardes. L'arme de ce dernier tombe sur le sol juste devant ta main. Rapide, tu la prends et tu pointes aussitôt le canon en direction de la grosse flasque devant toi, son éminence Dandadru.

– Vous disiez, monsieur « le minus tas de pus »?

Devant ce manque de respect, le deuxième garde tente de réagir. Tu colles l'arme au centre des sept yeux de Dandadru.

— Toi, le garde, tu bouges un seul tentacule et je transforme ton chef en portion familiale de Jell-O!

Ce deuxième garde arrêté, Lukas lui enlève son arme pour le neutraliser pendant que tu te remets sur pieds.

— Qu'est-ce qu'on fait maintenant? te demande ton nouvel ami.

Autour de vous, des dizaines d'humains assimilés vous dévisagent avec une haine furieuse.

— Nous allons attendre que ça leur passe, lui réponds-tu. Ça ne devrait pas trop tarder puisque toi tu es déjà libéré de ton parasite. En attendant, nous allons nous rendre à la ville et ramener avec nous ce gros trophée.

Impuissant, Dandadru fulmine devant toi.

– Lukas! Va chercher une voiture, nous allons t'attendre ici gentiment tous les deux.

Ton ami s'exécute.

– Alors on voulait s'emparer des ressources naturelles de la terre et ainsi anéantir toute l'espèce humaine? te moques-tu de Dandadru en le menaçant toujours du pistolet. N'avez-vous rien d'autre à faire chez vous? Genre regarder la télé ou jouer aux cartes? NON! Il a fallu que décidiez de détruire une planète peuplée de plus de sept milliards d'habitants. Tu es vraiment un gros dégueulasse, toi! Mais il se trouve que tu es tombé sur la MAUVAISE PLANÈTE! Eh oui! Car moi, je suis sur cette planète espèce de gros tas de caca de mouche et je ne te laisserai jamais faire ça.

Dandadru n'a jamais entendu autant d'insultes dans toute sa vie multimillénaire. Derrière lui, touchés au vif eux aussi par tes propos disgracieux envers leur chef, trois hommes marchent dans ta direction et tentent de s'approcher de toi.

– VOUS FAITES UN PAS DE PLUS LES ZOZOS ET LE GROS VOUS ÉCLABOUSSE!

Devant le sérieux de ta menace, ils stoppent tous les trois.

– Nous allons te ramener à la ville, car j'ai des projets pour toi! informes-tu ton prisonnier.

Dans la rue tout près, Lukas arrive avec un camion.

– Il vaut mieux prendre un camion pour transporter le minus.

Dandadru rougit de rage.

Tu pointes ton arme dans ce qui semble être le dos de la créature et tu la forces à monter avec toi dans la benne du camion.

Une fois à bord du camion, Lukas appuie sur l'accélérateur et vous évacuez les lieux, laissant derrière vous la meute râleuse d'humains assimilés.

Sur le chemin du retour, Lukas est le premier à apercevoir à une centaine de mètres devant le camion... UN ATTROUPEMENT DE CRÉATURES PAREILLES À DANDADRU!

Lukas appuie sur la pédale du frein et stoppe le camion. Dans la benne derrière, tu manques presque de t'écraser le visage dans la vitre de la cabine du conducteur.

Dandadru, lui, glisse et tombe

sur le côté.

– GROS IDIOT! lui lances-tu.

Tu le détestes plus que tout. Tu te penches ensuite sur le côté du véhicule.

– Quoi? Qu'est-ce qu'il y a? Pourquoi t'arrêtes-tu, Lukas?

Ton ami lève le menton plusieurs fois vers l'avant du camion pour te montrer la route devant le camion. Tu t'élèves alors sur la pointe des pieds pour regarder.

– Ils sont venus porter mainforte à Dandadru, te fait réaliser Lukas.

Debout dans la benne du camion,

tu te tournes vers Dandadru. Sur son visage horrifiant et difforme, sous ses sept yeux, tu peux deviner un sourire triomphant. Tu ne sais pas comment il a fait – peut-être par télépathie – mais ce salaud est parvenu à demander du renfort de ses semblables.

– Vous êtes faits comme les rats que vous êtes! te lance-t-il de manière malicieuse.

- QU'EST-CE QU'ON FAIT? veut savoir ton ami Lukas. ON FONCE DANS LE TAS OU ON PREND UNE AUTRE ROUTE?

Tu n'as que quelques secondes pour réfléchir…

Maintenant, c'est vraiment

à toi de décider comment se terminera cette aventure. S'agit-il ici, vraiment... DE LA TOUTE DERNIÈRE HISTOIRE ÉCRITE? Tout dépendra de ton choix.

Si tu veux que ton ami Lukas prenne une autre route pour se rendre à la ville, rends-toi à la page 83 de ce livre où il est écrit : OPTION 1, PRENDRE UNE AUTRE ROUTE.

Si tu crois que Lukas devrait appuyer à fond sur l'accélérateur et tenter d'écraser les créatures, rends-toi alors à la page 89 où il est écrit : OPTION 2, CROISE TES DOIGTS ET FONCE!

OPTION 1

PRENDRE UNE AUTRE ROUTE

Après avoir réfléchi sérieusement, tu te penches vers Lukas.

– Il serait préférable, mon ami,
que tu prennes une autre route.
Nous avons détruit l'usine qui
distribuait le gaz aux assimilés
et nous avons capturé leur chef.
Alors, ce n'est qu'une question de
temps avant que tout redevienne

normal. ALLEZ! VAS-Y!

Dans la cabine, comme un soldat en pleine guerre, Lukas exécute tes ordres. Il braque le volant vers une route secondaire qui passe dans une forêt et fonce entre les arbres. La route est si cahoteuse que tu dois mettre ton arme à ta ceinture pour que tu puisses te tenir après le camion.

Voilà l'occasion que Dandadru attendait. Avec l'un de ses tentacules, il saisit avec rapidité ton arme et te menace maintenant avec.

— DEMANDE-LUI DE S'ARRÊ-TER! t'intime t-il. TOUT DE SUITE!

N'ayant pas le choix, tu

t'exécutes.

– LUKAS! Stoppe le camion, immédiatement.

Ton ami appuie sur le frein, à peine est-il sorti du véhicule qu'il est pulvérisé par Dandadru. De la poussière grise retombe partout et sur toi. Tu fais un geste en direction de Dandadru.

– ESPÈCE DE SALOPARD D'EXTRATERRESTRE! t'écries-tu révolté.

Mais tu te ravises sous la menace de l'arme puissante.

Au bout d'une longue heure à dévisager haineusement Dandadru, tu aperçois une lueur dans le ciel qui se rapproche, c'est un de leurs vaisseaux. Lorsqu'il arrive au dessus du camion, une écoutille coulissante s'ouvre et un faisceau lumineux vous hisse tous les deux à bord.

– Bravo, Votre Éminence! accueille Dandadru avec révérence le capitaine de vaisseau.

Autour de lui, plusieurs créatures expriment aussi leur joie.

– Voici le DERNIER TERRIEN! se vante devant tout le monde Dandadru. La terre est maintenant complètement libérée de ces rats. Vous pouvez commencer à aspirer toutes les ressources de la planète, l'eau, l'air.

– OUI, VOTRE ÉMINENCE!

obtempère le capitaine. Nous nous y mettons tout de suite. Demain, elle ne sera plus qu'un vulgaire caillou flottant dans l'espace.

MAUVAISE FIN

Par ta faute, ceci était la toute dernière histoire écrite...

OPTION 2

CROISE TES DOIGTS ET FONCE!

Après avoir réfléchi sérieusement, tu te penches vers Lukas. Certain de prendre la bonne décision, tu lui dis :

– LUKAS! commandes-tu à ton ami. À FOND L'ACCÉLÉRATEUR ET ÉCRASE-MOI CES SALETÉS VENUES DE L'ESPACE!

Sourire aux lèvres, ton ami

s'exécute. Dans la benne, tu tiens le pistolet avec tes deux mains et tu le pointes devant le visage maintenant crispé d'inquiétude de Dandadru, signe que tu as pris la bonne décision!

À quelques mètres de l'attroupement, tu retiens ton souffle. Lorsque survient l'impact, un déluge de matière visqueuse extraterrestre déferle tout autour du camion. Tu te lèves tout de suite et constates que pas une seule des ces créatures dégoûtantes n'a survécue au choc. De chaque côté de la route, gisent les restes bouillonnants de ces envahisseurs sans pitié. C'est à ton tour de lancer un sourire triomphant à ton captif.

Arrivés à la ville, beaucoup de gens sont dans les rues pour vous accueillir. Des dizaines de personnes euphoriques tournent autour du camion. Tu réalises avec une grande joie que la plupart des habitants ont retrouvé leur aspect normal. Parmi eux, trois hommes te sourient à pleines dents. Étrange! Ils agissent comme s'ils te connaissaient personnellement. Pourtant, toi, tu ne les connais pas du tout. Ils s'approchent de toi...

– Allô, te dis le premier. Est-ce que ça va bien? Je suis Max, voici Eugène et Anton.

Sans trop comprendre pourquoi ces trois hommes tiennent à se présenter à toi, tu leur lances un sourire poli comme réponse.

— C'est nous qui avons écrit le guide qui t'a lancé dans cette aventure, t'apprend Eugène, le visage joyeux.

Tes yeux s'agrandissent par cette surprise.

— VOUS! t'exclames-tu, abasourdi. Je croyais à une mauvaise blague au début, vous savez?

Ils se mettent tous les trois à rire.

Anton s'approche de toi. Toujours assis dans la benne du camion, tu tiens encore en joue Dandadru.

— Tu as non seulement sauvé

la ville, s'étonne-t-il avec raison, mais tu es même parvenu à... CAPTURER LEUR CHEF! Il ne reste plus qu'à envoyer des soldats dans toutes les autres villes du monde afin de couper la distribution de gaz pour ainsi nous débarrasser du reste de ces parasites maudits. Tout ça est grâce à toi!

Les trois hommes te regardent avec admiration.

— Bah! réponds-tu pour rigoler, c'est le genre de truc que je fais tous les matins pour garder la forme.

Tu lances un clin d'œil à Lukas.

— Mais qu'est-ce tu prévois

pour notre « invité sidéral »? te demande Max. Tu vas l'empailler et le mettre dans ta chambre avec tes trophées de baseball et de soccer?

Tu te tournes vers Dandadru pour lui jeter un sourire diabolique.

– Non... Pire! J'ai ma petite idée.

Les tentacules de son éminence Dandadru se mettent à trembler...

Quelques semaines plus tard, après que la paix soit revenue dans le monde...

Aujourd'hui, c'est jour de fête dans la ville, car le zoo a le grand honneur d'ouvrir ses portes afin de dévoiler à son public, en grande première, son tout nouveau locataire…

Il n'y jamais eu autant de visiteurs sur le site et difficilement, tu te fraies un chemin à travers la foule. Mais finalement, c'est entouré de tous tes amis que tu arrives devant la cage de la vedette de l'heure… DANDADRU!

– Alors le voici! Son éminence, leur présentes-tu, Dandadru lui-même, le vilain extraterrestre.

Tous s'étonnent de voir tant de laideur en une seule créature.

– Ah! C'est lui qui a failli conquérir la terre et même la détruire, fixe d'un air dégoûté ton ami Jules.

– OUAIP! En chair et en os! Ou plutôt, en glu et en tentacules.

Tu passes ensuite ta main entre les solides barreaux pour lancer au prisonnier une cacahuète.

– AH NON! s'offusque Dandadru. Tu ne commenceras pas à me donner des « pinottes » chaque fois que tu viendras me voir! Ça ne sert à rien, je suis incapable de les ouvrir avec mes tentacules!

– Si tu parviens à ouvrir celle-là Dandadru, que tu lui réponds, je te promets que je te laisserai repartir chez toi.

La créature observe quelques secondes le fruit dur par terre. Il le ramasse et fait une tentative de l'ouvrir. Comme il l'avait prévu, la cacahuète glisse entre ses tentacules gluants et tombe sur le sol.

– Ah zut! te moques-tu de lui. Comme c'est dommage pour toi.

Tu tournes ensuite les talons pour aller voir les animaux avec tes amis.

Dandadru entre dans une violente colère.

– UN JOUR! UN DE CES JOURS! TU VERRAS! JE RÉUSSIRAI À M'ÉCHAPPER DE CE ZOO ET JE RETOURNERAI SUR MA PLANÈTE. ENSUITE, JE REVIENDRAI SUR TERRE AVEC

MON ARMÉE, POUR VOUS EN FAIRE MANGER À VOUS AUSSI DES « PINOTTES », ESPÈCES DE SALETÉ D'HUMAINS! SALETÉ D'HUMAINS!

BONNE FIN

RICHARD PETIT

Auteur, illustrateur et animateur prolifique, Richard Petit a publié plus de soixante-dix romans : de sa très populaire collection jeunesse d'épouvante Passepeur, en passant par sa série innovatrice de romans tête-bêche pour les filles, Limonade, jusqu'à sa toute dernière, Zoombira, une série de romans dans laquelle les lecteurs sont transportés dans la plus grande épopée de toutes. Les jeunes l'adorent et son travail auprès d'eux leur donne souvent le goût de la lecture. D'ailleurs, le roman *La plus jolie histoire* a remporté le Prix Hackmatack 2010-2011 – le choix des jeunes.

NOTE DE L'AUTEUR

RASSURE-TOI! Cette histoire inventée de toutes pièces a été écrite uniquement pour te faire peur, donc pour t'amuser. Rien de tout cela ne s'est produit ou se produira, ne t'en fais pas. Peu importe la frayeur qu'ils éveillent en nous, les livres d'épouvante ne resteront toujours que de simples livres, les films d'horreur ne resteront toujours que de simples films. J'espère bien te raconter une autre histoire EFFRAYANTE un jour, ou plutôt, une nuit, dans une autre mésaventure… ZONE FROUSSE!

Merci!

Ton ami

Richard Petit

DANS LA MÊME COLLECTION :